dinosaurios
del 1 al

DISCARD

ediciones
iamiqué
LIBROS CIENTÍFICAMENTE DIVERTIDOS

carla baredes e ileana lotersztain

ilustraciones de gustavo encina

¿Qué es ediciones iamiqué?

ediciones iamiqué es una pequeña empresa argentina manejada por una física y una bióloga empecinadas en demostrar que la ciencia no muerde y que puede ser disfrutada por todo el mundo. Fue fundada en 2000 en un desván de la Ciudad de Buenos Aires, junto a la caja de herramientas y al ropero de la abuela.

ediciones iamiqué no tiene gerentes ni telefonistas, no cuenta con departamento de marketing ni cotiza en bolsa. Sin embargo, tiene algo que debería valer mucho más que todo eso: unas ganas locas de hacer los libros de información más lindos, más divertidos y más creativos del mundo.

Idea y texto: Carla Baredes e Ileana Lotersztain
Lectura crítica: Martín Ezcurra
Corrección: Patricio Fontana y Laura A. Lass de Lamont
Ilustraciones: Gustavo Encina
Diseño: Lisa Brande y Javier Basile
Diagramación: Santiago Pérgola y Javier Basile

© ediciones iamiqué
info@iamique.com.ar
www.iamique.com.ar

Primera edición: julio de 2006
Tirada: 5.000 ejemplares
I.S.B.N.-10: 987-1217-14-5
I.S.B.N.-13: 978-987-1217-14-4

Queda hecho el depósito que establece la ley 11.723
Impreso en Argentina. Printed in Argentina

Baredes, Carla
    Dinosaurios del 1 al 10 / Carla Baredes e Ileana Lotersztain ; ilustrado por Gustavo Encina.- 1ª. ed.- Buenos Aires : Iamiqué, 2006.
    24 p. ; 21x21 cm.- (Ciencia para contar)

    ISBN 987-1217-14-5

    1. Ciencias Naturales-Niños. I. Lotersztain, Ileana
II. Encina, Gustavo, ilus. III. Título.
    CDD 570.54

Los números están en todas partes: en los días que faltan para que empiecen las vacaciones, en la distancia que te separa de la casa de tu mejor amiga, en las monedas que tienes que juntar para comprar un chocolate, en las velas que vas a soplar en tu próximo cumpleaños, en los bocados que faltan para que termines tu cena... **Y también están escondidos entre los dinosaurios.**

¿Quieres descubrirlos?

1

cola larguísima tenía *Argentinosaurus*

que, posiblemente, le servía para equilibrar el peso de su también larguísimo cuello.

Este dinosaurio fue uno de los animales terrestres más grandes que habitaron nuestro planeta. Era largo como cuatro autobuses, alto como un edificio y pesado como diez elefantes...

Con semejante altura, encontrar comida no era un problema para *Argentinosaurus*, ya que podía alcanzar las hojas de los árboles más altos, adonde no llegaba casi nadie más. Y con semejante tamaño, andar por ahí tampoco era un problema para él... **¿Quién se atrevería a enfrentarlo?**

Argentinosaurus significa "reptil de la Argentina".

2 garras retráctiles tenía *Deinonychus*

una en cada pie, largas, curvadas y muy afiladas, ideales para acuchillar a sus presas.

Cuando caminaba o corría, *Deinonychus* "guardaba" las garras (las retraía), para no arruinarlas y evitar que lo frenaran... Al alcanzar a una víctima, saltaba sobre ella y la inmovilizaba con las patas y con las manos. Y ahí sí... sacaba las garras y se las clavaba hasta matarla.

Aunque era un dinosaurio pequeñito, se animaba a cazar animales de todos los tamaños. **¡*Deinonychus* era una verdadera máquina de matar!**

Deinonychus significa "garra terrible".

3 tipos de dientes tenía *Heterodontosaurus*

que le permitían masticar desde los brotes más tiernos hasta los tallos más duros.

En la boca, delante y arriba, *Heterodontosaurus* tenía **dientes afilados y puntiagudos**, especiales para cortar y rebanar. Hacia el fondo, arriba y abajo, tenía **dientes anchos y redondeados**, perfectos para moler y triturar.

Además de estos dos tipos de dientes, los machos poseían **4 colmillos**, 2 arriba y 2 abajo, que tal vez usaban para conquistar a las hembras y para pelear con otros *Heterodontosaurus*.

Heterodontosaurus significa "reptil con dientes diferentes".

patas tenía *Maiasaura*

2 cortas y delgadas, adelante, y 2 largas y robustas, atrás.

Cuando salía a buscar plantas para alimentarse, caminaba sin prisa, sobre sus 4 patas. Pero cuando huía de algún dinosaurio que andaba buscando *Maiasauras* para comer, corría velozmente apoyándose sólo sobre las patas traseras.

Los *Maiasauras* vivían en grandes manadas que iban de un lugar a otro en busca de alimento. Aunque, según parece, ponían siempre los huevos en el mismo lugar y ¡hasta en los mismos nidos! Pero eso no es todo: **cuidaban los huevos y se ocupaban de sus crías** todo el tiempo que fuera necesario.

Maiasaura significa "reptil buena madre".

5 dedos en cada mano tenía *Eoraptor*

2 muy pequeños y los otros 3 largos y con garras.

Aunque a ti te resulte lo más natural tener 5 dedos en cada mano, entre los dinosaurios había muchas variantes: los más antiguos, como *Eoraptor*, tenían 5, pero hubo otros con 2, 3 ó 4 dedos. *Eoraptor,* uno de los dinosaurios más pequeños que se conoce, era **un corredor muy veloz y un hábil cazador**. Oculto entre las plantas, esperaba pacientemente que apareciera algún animal pequeño. Y ahí... ¡sorpresa! Lo corría, le saltaba encima, lo sujetaba con las manos y lo despedazaba con sus dientes afilados. ¡Mmmmmmmmmmm!

Eoraptor significa "ladrón del amanecer".

6 pares de grandes agujeros tenía el cráneo de *Tyrannosaurus*

Tyrannosaurus era **un animal enorme y temible**. Su cráneo era tan grande como un jabalí y estaba formado por muchos huesos duros unidos entre sí. Los científicos dicen que, si no hubiera sido por esos agujeros, su cabeza hubiese sido tan pesada que no habría podido sostenerla.

Tyrannosaurus atacaba a sus presas embistiéndolas con la bocaza bien abierta. Luego, les clavaba sus dientes aserrados y las tiraba al suelo. Pero estos enfrentamientos no siempre eran luchas terribles o espectáculos brutales: entre sus víctimas solía haber dinosaurios heridos o enfermos, o crías indefensas.

Tyrannosaurus significa "reptil tirano".

7 cuernos grandes tenía *Styracosaurus*

1 sobre la nariz y 6 en la parte posterior de la cabeza.

Aunque luzca bastante feroz, *Styracosaurus* **no era un dinosaurio cazador**: comía las plantas y los arbustos que encontraba por ahí. ¿Y qué hacía con semejantes cuernos? Si se sentía amenazado, en lugar de escapar, enfrentaba a su atacante y lo embestía con el cuerno de la nariz, como hacen los actuales rinocerontes. A su vez, los otros cuernos le daban un aspecto muy, muy amenazante. Y, además, le servían para proteger una de las partes más débiles de cualquier animal: el cuello.

Como dice el dicho: la mejor defensa es un buen ataque.

Styracosaurus significa "reptil espinoso".

hasta

8

púas tenía la cola de *Stegosaurus*

larguísimas, afiladas y muy puntiagudas.

Stegosaurus, un dinosaurio robusto y torpe, pasaba casi todo el día buscando y comiendo hojas y tallos tiernos. ¡Era una **presa exquisita** para los dinosaurios cazadores! Pero aunque se movía muy despacio, no era tan fácil atraparlo. Cuando alguno se le acercaba demasiado, le daba un latigazo con la cola y le clavaba las púas bien profundo...

¿Y cuál era la función de esas enormes placas que los *Stegosaurus* tenían sobre el cuerpo? Algunos científicos dicen que les servían para enfriarse (como las orejas a los elefantes), otros aseguran que eran útiles para reconocerse entre ellos y otros creen que las placas tomaban a veces un color intenso y así les servían para encontrar pareja o para asustar a otro dinosaurio.

Stegosaurus significa "reptil con tejado".

9
vértebras
tenía en
la cadera
Hungarosaurus

Hungarosaurus era bajo y corpulento, con 4 patas macizas y musculosas. Esas patas terminaban en 5 dedos cortos y anchos, sobre los que se repartía el impresionante peso de su cuerpo. ¿Y por qué era tan pesado? Además de que era robusto, tenía la parte superior del cuerpo recubierta por un montón de **placas duras y compactas**. Estas placas, que lo recorrían desde la cabeza hasta la cola, se unían unas con otras y formaban un **escudo protector**.

Con semejante armadura, *Hungasaurus* estaba bien protegido de los cazadores que solían atacarlo saltándole encima. ¡Un verdadero tanque con patas!

Hungarosaurus significa "reptil de Hungría".

10 vértebras tenía en el cuello *Carnotaurus*

todas protegidas por músculos fuertes y muy poderosos.

Carnotaurus tenía **2 cuernos afilados y puntiagudos** que probablemente usaba para embestir a otros *Carnotaurus* y luchar con ellos, como hacen los ciervos cuando pelean por alguna hembra que anda cerca.

Además, contaba con algo fundamental para un dinosaurio cazador: los ojos ligeramente orientados hacia delante, lo que le permitía saber cuán cerca o cuán lejos se encontraba su presa. Dicen que, con semejante tamaño, esa vista binocular y la velocidad que era capaz de alcanzar... **¡era un cazador casi infalible!**

Carnotaurus significa "toro comedor de carne".

Por trabajar con nosotras codo a codo, por su entusiasmo y por su invalorable colaboración, le damos las muchas gracias a Martín Ezcurra, del Laboratorio de Anatomía Comparada y Evolución de los Vertebrados del Museo Argentino de Ciencias Naturales "Bernardino Rivadavia".

¿Quieres formar parte de los seguidores de ediciones iamiqué?

Esa no es mi cola

Esas no son mis patas

Esas no son mis orejas

¿Por qué se rayó la cebra?
y otras armas curiosas que tienen los animales para no ser devorados

¿Por qué es trompudo el elefante?
y otras curiosidades de los animales a la hora de comer

¿Por qué es tan guapo el pavo real?
y otras estrategias de los animales para dejar descendientes

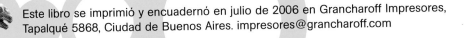

Este libro se imprimió y encuadernó en julio de 2006 en Grancharoff Impresores, Tapalqué 5868, Ciudad de Buenos Aires. impresores@grancharoff.com